솔직함

할 수 있는 1

스스로 바라는 만큼 자유로운 사람이 아니라면, 상황의 진실을 말할 곳을 찾아야 한다. 자신의 상황이 어떤지 말하려면 말이다. 솔직함은 매일 배 속에서 만들어지는 실타래와 같아서 바깥 어딘가에서 베로 짜여야 한다. 우물에 대고 속삭일 수도 있다. 편지를 써서 서랍에 넣어둘 수도 있다. 납 띠에 저주를 새겨서 수천 년 동안 아무도 못 보도록 땅에 묻을 수도 있다. 요점은 독자를 찾지 않는 것, 요점은 말하기 그 자체다. 홀로 방 안에 선 사람을 생각해보라. 집 안은 고요하다. 여자는 종이 한 장을 내려다보고 있다. 그 외에는 아무것도 존재하지 않는다. 여자의 모든 혈관이 종이 속으로 뻗어 들어간다. 여자는 펜을 들어 종이에 아무도 보지 않을 흔적을 몇 군데 남기고, 여자는 종이에 일종의 잉여를 부여하고, 여자는 종이에 자기 이름만큼이나 사적이면서도 정확한 몸짓을 얹어 마무리한다.

그러고는 3

제인 웰스를 생각해보라. 손에 든 종이는 남편의 정부인 리베카 웨스트가 보낸 편지다. 제인 웰스의 남편이자 성적(性的) 사회주의자인 허버트 조지 웰스는 자기 여자들이 서로의 존재를 묵인해주는 걸 좋아했다. 여자가 많았다. 제인은 여자들이 등장하고 퇴장하는 것을 묵묵히 지켜보았고, 이따금 그들을 초대해 차를 마셨고, 그들이 남편의 사생아를 낳으면 축하 전보를 보냈고, 아플 때는 그들로부터 안부 쪽지를 받았다. "그동안 얼마나 편찮으셨는지… 제가 얼마나 죄송한지… 제가 얼마나 고마워하는지…" 리베카 웨스트의 편지였다. 제인 웰스가 연필을 꺼내 희미한 밑줄 몇 개와 느낌표 몇 개를 추가함으로써 그 편지를 종류가 다른 문서로 만들 때까지 선 채로 얼마나 오래 편지를 들여다보았을지 궁금하다. 왜 그런 일을 했는지도 궁금하다. 다른 누가 편지를 읽으리라 기대했을 것 같지는 않다. 하지만 거기에는 그녀를 움직여 특정한 방식으로 편지를 완성하도록, 자신의 기분을 기록하도록, 다른 여성들의 문장이 품은 허위에 저항의 말 몇 마디를 속삭이도록 만들고야 만 내밀함과 정확성에 관한 이해가 있었다. "제 스승이기도 한 솔직함이 유일한 책략입니다." 에밀리 디킨슨은 1876년 2월 토머스 웬트워스 히긴슨에게 보낸 편지에 그렇게 썼다.

두 겹의 2

헬레네를 생각해보라. 아, 그녀는 대단한 미인이었다. 모든 그리스 남자를 사랑에 빠뜨렸고, 트로이로 달아나서는 그곳 사람들도 모두 매혹에 빠뜨렸다. 아름다움 때문이기도 했지만, 한편으로는 정확하고 내밀한 정신 때문이기도 했다. 호메로스는 그녀의 아름다움을 묘사하는 따위의 귀찮은 짓은 하지 않으나, 그녀의 정신은 아주 상세하게 제시한다. 예의 저 전쟁 중의 어느 긴 오후였다. 호메로스는 전장을 외면한 채 모든 것이 고요한 헬레네의 침실로 훌쩍 옮겨간다.

그녀는 침실에서 훌륭한 베를 짜고 있었다.
붉은색의 두 겹짜리 베였고 그녀는 서기에 전부 숭인
말을 잘 다루는 트로이인들과 청동 갑옷을 입은 그리스인들을 짜 넣었으니
그녀가 보기에 그들은 모두 아레스의 손아귀에서 고통받는 이들이었다.

(호메로스, 『일리아스』 제3권 126~129절)

물론 호메로스의 작품에 나오는 모든 여자가 베를 짜고, 베 짜기는 전형적인 여성의 일이다. 가정에는 베가 필요하기 때문이다. 여성의 계획이 거미줄만큼이나 탄탄하고 용의주도하기 때문이다. 배 속에 든 실타래 때문이다. 하지만 헬레네의 베 짜기는 특별하다. 붉은색에 두 겹이었고 기묘하게 '현재적'이다. 그때부터 고대 문학 비평가들은 헬레네와 호메로스가 자리를 바꿔가며 서로를 말해주는 방식에 탄복해왔다. 둘은 각자의 방식으로 몹시 자유롭지 않고, 몹시 약삭빠르며, 둘 다 표식을 남기는 사람이다. 그의 이야기 속에 일종의 솔직함으로의 무한회귀로서 그녀의 이야기가 흩뿌려져(재미있는 동사다. 이야기가 소금이나 씨앗이라도 되는 듯이) 있다. 그녀는 한 남자가 자신의 예술을 위해 채택하여 이용하는 그저 그런 대상이 아니다. 그녀는 힐끗 밖을 내다본다.

또한

'제인'은 허버트 조지 웰스 부인의 진짜 이름이 아니었다. 진짜 이름은 에이미 캐서린이었다. 웰스는 에이미 캐서린을 좋아하지 않아서 가사(家事) 능력을 현시한다고 여긴 제인이라는 이름으로 개명시켰다. 둘은 사십 년 가까이 결혼생활을 이어갔고, 제인은 웰스가 기대한 가정적 역할을 만족스럽게 수행했다. 하지만 그는 가끔 "제인의 갈색 눈으로 [그를] 힐끗 내다보고 사라지는" 에이미 캐서린을 보았다고 말한다(허버트 조지 웰스, 『자서전 실험(Experiment in Autobiography)』).

그 여자의

비교를 위해 8×3cm 크기의 납작한 납판 양면에 새겨진 저주문을 가져와 보자. 이 납판은 돌돌 말려 못으로 고정된 채 보이오티아에 묻혀 있다가 발견되었다. 제작 연대는 미상이나 기원전 4세기경으로 추정된다.

[앞면]

나는 카베이라스의 아내인 에레트리아의 조이스를 대지와 헤르메스 신 앞에
묶어두나니, 그 여자의 먹기 그 여자의 마시기 그 여자의 잠 그 여자의 웃음
그 여자의 섹스 그 여자의 리라 연주 그 여자의 방으로 들어오는 방식
그 여자의 즐거움 그 여자의 작은 엉덩이 그 여자의 생각 그 여자의 눈을

[뒷면]

그리고 헤르메스 신 앞에 묶어두나니, 그 여자의 걸음걸이 그 여자의 말
그 여자의 손 그 여자의 발 그 여자의 사악한 이야기 그 여자의 영혼 전체를